La nouvelle amie de Sofia

Écrit par Catherine Hapka
Illustré par Character Building Studio
et les artistes de Disney Storybook

© 2013 Les Publications Modus Vivendi inc. pour l'édition française.
© 2013 Disney Enterprises, Inc. tous droits réservés.

Publié par Presses Aventure, une division de
Les Publications Modus Vivendi Inc.
55, rue Jean-Talon Ouest, 2e étage
Montréal (Québec) H2R 2W8
CANADA
www.groupemodus.com

Éditeur : Marc Alain
Traduit de l'anglais par Emie Vallée

Publié pour la première fois en 2013 par Disney Press sous le titre original *Sofia Makes a Friend*

Dépôt légal — Bibliothèque et Archives nationales du Québec, 2013
Dépôt légal — Bibliothèque et Archives Canada, 2013

ISBN 978-2-89660-627-6

Tous droits réservés. Aucune section de cet ouvrage ne peut être reproduite, mémorisée dans un système central ou transmise de quelque manière que ce soit ou par quelque procédé électronique, mécanique, de photocopie, d'enregistrement ou autre sans l'autorisation écrite de l'éditeur.

Nous reconnaissons l'aide financière du gouvernement du Canada par l'entremise du Fonds du livre du Canada pour nos activités d'édition.

Gouvernement du Québec — Programme de crédit d'impôt pour l'édition de livres — Gestion SODEC

Imprimé en Chine

Sofia est contente. On attend des visiteurs royaux au château !

« Le roi Baldric et la reine Ada
seront bientôt ici »,
dit la reine Miranda.

« Avec nos visiteurs, nous avons une invitée spéciale, dit le roi Roland. Elle doit se sentir comme chez elle dans notre château. »

« L'invitée spéciale est sûrement une princesse! » chuchote Ambre à Sofia.

La trompette résonne.

« Les visiteurs sont là ! » s'écrie Sofia.

Une  calèche s'arrête devant le château.

Deux personnes descendent de la calèche. « Où est la princesse ? » demande Ambre.

À cet instant, une petite licorne bondit hors de la calèche.
La reine Ada sourit.

« Voici Perle, notre nouvelle licorne domestique. J'espère que vous pourrez garder un œil sur elle. »

« Oh ! s'écrie Sofia.
Perle est si mignonne ! »

« Sa corne est très jolie, dit Ambre.
Ce sera amusant de veiller sur elle ! »

Sofia, Ambre et James emmènent Perle en promenade.
Perle chasse les oiseaux et mange les fleurs.

Perle plonge dans la fontaine.
Puis, elle se secoue près d'Ambre.
« Hé ! crie Ambre. Arrête ! »

« J'ai une idée, dit James.
Perle va nous regarder pendant
que nous jouons avec les fers ! »
Il lance un fer.

Perle attrape le fer
et le rapporte à James.
« Hé ! Elle m'a fait manquer
mon lancer ! » dit James.

Ambre a une autre idée :
« Jouons à nous déguiser ! »

« Perle sera mignonne avec un chapeau et un tutu ! » dit-elle.
Perle croque à belles dents dans le chapeau d’Ambre.

« Perle, non ! » crie Ambre.

Elle tente de saisir le chapeau,

mais la licorne s'enfuit.

Perle court dans tout le château.

Elle saute sur le piano

et mâchonne une tapisserie.

« Ce n'est pas amusant de surveiller Perle ! » dit James.

« Elle casse tout ! » ajoute Ambre.

Perle les a entendus.

Elle baisse la tête.

Sa corne perd tout son éclat.

Elle court se réfugier

derrière une tapisserie.

« Rappelez-vous ! Nous devons aider Perle à se sentir comme chez elle au château », dit Sofia.

« Mais, elle n'aime rien de
ce que nous aimons faire ! »
dit Ambre.

Ambre donne une idée à Sofia.

« Perle est une licorne ! dit-elle.

Nous devons trouver ce que

les licornes aiment faire ! »

Sofia peut parler avec les animaux.
Sofia confie son secret à Perle.
« Qu’est-ce que tu aimes ? »
demande-t-elle.
« J’adore la musique », dit Perle.

Sofia mène les musiciens du château
à la cachette de Perle.
Les musiciens jouent
une mélodie gaie.

Sofia, Ambre et James dansent et chantent sur la mélodie. La tapisserie se met à bouger…

Perle bondit hors de sa cachette.
Elle est heureuse, et sa jolie corne
brille de nouveau.

« Hourra ! s'exclame Sofia.
Grâce à nous, Perle se sent comme
chez elle dans notre château. »

« C’est parce que tu as deviné

ce qu’elle aime !

dit James à Sofia.

Nous nous sommes tous

bien amusés ! »

Le séjour se poursuit
dans la joie et la musique.
Sofia, Ambre et James ont hâte
à la prochaine visite de Perle!